collana dell'ascolto che non c'è

the unheard voice of children

REGGIO CHILDREN

Centro internazionale per la difesa e la promozione
dei diritti e delle potenzialità dei bambini e delle bambine
*International center for the defence and promotion
of the rights and potential of all children*

Le fontane © 1995
collana dell'ascolto che non c'è © 1995 - Marzo 2001 (5ª ristampa) - n° 2

Tutti i diritti riservati.
Comune di Reggio Emilia - Nidi e Scuole dell'Infanzia.
È vietata ogni riproduzione, anche parziale ed in ogni forma, senza preventiva autorizzazione.

The fountains © 1995
the unheard voice of children © 1995 - *March 2001 (6th printing) - n° 2*

All rights reserved.
Municipality of Reggio Emilia - Infant-Toddler Centers and Preschools.
No part of this publication may be reproduced, stored in a retrieval system, or transmitted, in any form or by any means, electronic, mechanical, photocopying, microfilming, recording, or otherwise, without permission.

ISBN 88-87960-02-X

Curatore dell'edizione / *Editing and layout*
Giovanni Piazza

Traduzione / *Translation*
Leslie Morrow

Progetto copertina / *Cover design*
Rolando Baldini - Vania Vecchi

In collaborazione con
In collaboration with

Le fontane edito da:
The fountains published by:

REGGIO CHILDREN S.r.l.

Sede Legale: Via Guido da Castello, 12
Uffici: Piazza della Vittoria, 6 - 42100 Reggio Emilia - Italia
Tel. +39 0522 455416 - Fax +39 0522 455621
e-mail: info@reggiochildren.it

Cod. Fisc. e P.IVA 01586410357 - Cap. Soc. £. 500.000.000
Iscritta al Registro Imprese di RE n° 24403 - R.E.A. di RE n° 197516

Nidi e Scuole Comunali dell'infanzia di Reggio Emilia
Municipal Infant-Toddler Centers and Preschools of Reggio Emilia

Le fontane
The fountains

Da un progetto per la costruzione
di un luna park degli uccellini
*From a project for the construction
of an amusement park for birds*

Protagonisti - *Protagonists*
bambini e bambine
fra i 5 e i 6 anni
della scuola "La Villetta"
*5 and 6 year-old children
of "La Villetta" school*

Coordinatore del progetto
Project coordinator
Loris Malaguzzi

Pedagogista
Carlina Rinaldi

Insegnanti
Teachers
Amelia Gambetti
Teresa Casarini
Giovanni Piazza

Sommario
Contents

The amusement park for birds and the fountains

As you will read in this little book, the children at "La Villetta" spent weeks and weeks working in a collaborative manner to create an amusement park for the birds that come frequently to their school yard. There is no doubt that this project was a delightful experience for the children and that they learned a great deal from it. But how do we characterize the fundamental principles that guide such projects in the Municipal Preschools of Reggio Emilia?

I have been invited, in this preface, to identify certain aspects of the educational philosophy behind these schools which, in my opinion, can be viewed as an interpretation of the constructivist and social constructivist theories.

In the first analysis, these theories need to be distinguished from other theories of knowledge. The basic premise is that knowledge is constructed as a system of relations, so that the simple association between two stimuli, or between a stimulus and a response, is insufficient for defining the knowledge-building process.

It is only through a process of re-reading, reflection, and revisiting that children are able to organize what they have learned from a single experience within a broader system of relations. These processes are individually and socially constructed, and herein lies the image of the child as an active constructor of his or her own knowledge, which is one of the fundamental premises of the philosophy and practice that has come to be known as the "Reggio Approach". The "Amusement Park for Birds" project is a wonderful example of school as a place where children are encouraged to reflect on an experience rather than simply have an experience, a context that stimulates children not only to observe but also to reflect on their observations.

The project presented in this book is certainly such an environment, where reflection on experience is encouraged through the verbal dialog and discussions that result from the shared re-reading of the materials that document the children's experiences, but also through the use of other expressive languages - drawing, clay, wire, and so on - viewed as tools for designing, expanding, and elaborating ideas and experiences.

Il luna park degli uccellini e delle fontane

Questo libro testimonia come sia stato straordinariamente interessante e piacevole per i bambini della scuola "La Villetta", lavorare insieme per un lungo periodo sul progetto di costruzione di un luna park per gli uccellini che frequentano il parco della loro scuola.

Nello stesso tempo ci pone un quesito fondamentale: quali significati sottostanno alla realizzazione di progetti di questo genere nelle istituzioni educative del Comune di Reggio Emilia?

In questa prefazione cercherò di evidenziare l'identità di alcuni aspetti della filosofia educativa di queste istituzioni, in particolare di quelli che a mio parere possono essere identificati come interpretazioni e rielaborazioni delle teorie costruttiviste e socio-costruttiviste.

Queste teorie presentano sostanziali differenze rispetto ad altre teorie che affrontano i processi di costruzione della conoscenza. L'idea fondante è che la conoscenza si struttura come un sistema di relazioni, per cui la semplice associazione tra due stimoli, o tra stimolo e risposta, non è sufficiente per generare un processo conoscitivo.

Infatti è solo attraverso processi di rilettura, riflessione, ri-cognizione, che i bambini riescono ad organizzare quanto hanno appreso da singole esperienze in un sistema relazionale più ampio e globale.

Sono processi autocostruttivi ed insieme co-costruttivi, e ci aiutano a comprendere quell'idea di un bambino costruttore attivo della propria conoscenza che è uno dei punti fondanti di quello che qui, negli Stati Uniti, è conosciuto come il "Reggio Approach".

In questo senso il progetto del "Luna-Park degli uccellini" è una testimonianza straordinaria di un'immagine davvero nuova dell'idea stessa di scuola.

Una scuola che si propone come un luogo dove i bambini sono incoraggiati a riflettere su un'esperienza piuttosto che a fare semplicemente un'esperienza, una scuola che diviene un contesto che li stimola ad osservare e a riflettere sulle loro osservazioni.

It is this meta-cognitive level of play and experimentation that so markedly characterizes what is unique in the Reggio preprimary classrooms.
In this book, you will find children working in small groups, and this provides a further understanding of the underlying philosophy of these schools; i.e. the Reggio child is seen as learning in a social medium. However, there is nothing about working in groups, as a physical fact, that identifies a school's philosophy as constructivist. The group is not just a source of new information but also presents a reason for the individual child to reflect on his own theories, his own representations of his knowledge.

The social constructivism of this encounter rests in the manner in which the teachers respect the children's need to generate their own questions and encourage the children to revisit their choices. This meta-cognitive perspective, at least as practiced in the Reggio schools, facilitates the construction of a system of implications among the remembered facts instead of simply a memory for the facts themselves. The teachers are keen to help children make sense of their experience, not just remember the experience. The children are taught to infer, predict, confirm - to go beyond the givens, that is, to organize facts into structures that make some possibilities more probable than others.
Too often we confuse a growth in a child's vocabulary with growth in understanding. Too often we confuse an alert and observant child with a thinking child. Too often we treat the construction of knowledge as a private affair between student and subject matter.
This little book should give expression to the social constructivism as practiced in these preprimary schools, and I am proud that Lella Gandini and I have been a part of this project and all that it has revealed regarding the quality of education in Reggio Emilia.

George Forman, Ph.D.
Professor of Education-University of Massachusetts, Amherst
Professore di Pedagogia-Università del Massachusetts, Amherst-USA

La ri-cognizione avviene attraverso conversazioni, dialoghi, discussioni, che possono nascere dalla rilettura condivisa dei materiali che documentano le esperienze che i bambini vivono, ma anche attraverso l'uso di linguaggi espressivi intesi come strumenti di progettazione, di approfondimento ed elaborazione delle idee e delle esperienze stesse.

È questo livello meta-cognitivo del gioco e della sperimentazione che rende unica l'esperienza educativa delle istituzioni per l'infanzia reggiane.

In queste pagine troveremo bambini che lavorano in gruppo, e questo ci dice molto altro sulla filosofia che anima queste istituzioni: l'idea è che il bambino apprende in relazione ad un contesto umano e sociale.

Ma non è sufficiente lavorare fisicamente insieme per parlare di co-apprendimento, il lavorare insieme dei bambini è anche qualcosa di più della semplice collaborazione: è uno stimolo per ogni singolo bambino a riflettere sulle proprie teorie e sulle proprie rappresentazioni della personale conoscenza. L'accento è ancora una volta sulla dimensione meta-cognitiva che caratterizza il "Reggio Approach".

Anche il ruolo dell'adulto si dipana lungo queste direzioni: durante la lettura del libro troveremo adulti che rispettano il bisogno dei bambini di autogenerare domande e interrogativi e che li stimolano a rivisitare e riconnettere le scelte che compiono nel corso degli accadimenti.

È un atteggiamento che tende ad incoraggiare i bambini nei processi di riflessione sui significati di quanto fanno piuttosto che limitarsi ad impegnarli in una serie di attività. Questo consente ai bambini di dare un senso a ciò che fanno e non solo di ricordarselo. Non sempre riconosciamo l'importanza di queste problematiche educative. Troppo spesso trattiamo i processi di costruzione della conoscenza come un affare privato tra "lo studente e l'oggetto del suo studio".

Questo libro testimonia in modo pieno e ricco come la conoscenza sia frutto di complessi processi relazionali, e come questa idea diviene pratica educativa vissuta quotidianamente nei nidi e nelle scuole comunali dell'infanzia di Reggio Emilia. Leggendo queste pagine capirete perché sono orgoglioso del ruolo che Lella Gandini ed io abbiamo avuto nello sviluppo di questo progetto e per la nostra opera di divulgazione negli Stati Uniti in merito alla qualità educativa delle istituzioni per l'infanzia reggiane.

George Forman

The idea of the amusement park for birds and the fountains

The idea of "what to do" begins to take shape during the class assembly. What this idea will turn out to be, if and when the children do decide on it, will only be known after a hundred tosses and rebounds. Sometimes the idea is not satisfactory or does not gain consensus. But not to worry. Everything will be postponed until tomorrow's meeting.

The children already have considerable experience in conversing and discussing in both small and large groups. But this meeting for the "what to do" is especially eagerly anticipated. What is involved is finding a special idea, all together, toward which the work will be directed, and the project can last for quite some time - even weeks or months - if the idea catches on and the work turns out well.
Each child can put forth his or her own ideas. It remains to be seen how these ideas are received by the others.
So ideas fly, bounce around, accumulate, rise up, fall apart, and spread, until one of them takes a decisive hold, flies higher, and conquers the entire group. Whatever it turns out to be, the adopted idea in turn adopts the children and the teachers.

In this project, the initial idea was to create a freshwater lake for the thirsty birds that inhabit the school grounds.
If the birds are thirsty, then they must also be hungry. And if they're hungry and thirsty, then perhaps they are tired, too. New ideas now emerge and are added to the original ones.
Suggestions are made for houses and nests in the trees, swings for baby birds to play on, elevators for the elderly ones. Then ferris wheels and rides with music. And then - everyone laughs - water skiing for the birds, providing them with tiny slats of wood for skis.

L'idea del luna park degli uccellini e delle fontane

È nell'assemblea del che fare che l'idea prende corpo. Quale sia lo si saprà solo al termine di cento rimbalzi, quando e se i bambini lo decidono.
A volte l'idea non accontenta o non trova l'accordo.
Niente scandalo.
Si rinvia tutto all'assemblea dell'indomani.

I bambini hanno già alle spalle tante esperienze di conversazioni e discussioni di piccolo e grande gruppo.
Ma questa assemblea del che fare è attesa con interesse speciale.
Si tratta di trovare, tutti insieme, un'idea speciale attorno alla quale dirottare il lavoro che, se ne vale la pena o riesce bene, può anche durare un bel po' di tempo. Addirittura settimane o mesi.
Ogni bambino può lanciare la sua. Bisogna vedere come è accolta dai compagni. Così le idee volano, rimbalzano, si ammucchiano, si rialzano, si disfano lentamente o si dileguano. Fino a che una di esse piglia decisa il sopravvento, vola altissima e conquista vittoriosa tutto il parlamento. Comunque sia è l'idea adottata che, a sua volta, adotta i bambini e gli insegnanti.

Questa volta l'idea è di fare nel parco della scuola un laghetto d'acqua fresca per gli uccellini che hanno sete. Se hanno sete, hanno anche fame.
Se hanno sete e fame, forse sono anche stanchi.
Le idee adesso si chiamano.
Suggeriscono casette e nidi sugli alberi, altalene per gli uccellini più piccoli e ascensori per quelli più anziani.
Poi giostre con musica.
Poi, e tutti ridono, lo sci nautico a patto di mettere a disposizione degli uccellini dei pezzettini di legno.

Then come the fountains, which have to be big and real, and spray the water up really high.

The project now has a general outline. Is anything missing? Perhaps a clearer and more exciting definition? Eureka! "We'll make an amusement park for the birds!" It is a "mother" idea that will have a lot of offspring.

The assembly adjourns for now. There will be other meetings to give further shape and concreteness to the idea.

The project becomes a long laboratory session where hands work with ideas and inventions to give real dimensions to the Amusement Park that will eventually be constructed and operate on the school grounds.

The idea of fountains is exciting, full of potential, and not simple.

This is the idea recounted here, only one chapter of the undertaking, but one that totally captivates the children, who are drawn by the fascination of fountains that lift water from the ground, hurl it skyward or let it fall lightly or break up into sprays - the fascination of discovering the secrets of such magic.

Here we describe what the children said and did - sometimes conceiving, deducing, and doing on their own, sometimes asking for encouragement and approval, sometimes interweaving their thoughts and hands with those of the adults, but always attempting to think and do together, taking advantage of the strong moments, constantly adjusting the acts and actions that lead them to the achievement of their objectives.

So, what emerges from the assembly of "what to do" is the idea to pursue a theme posed by the children and adults. The work will be done by all, with procedures, forms, and directions that are in part predicted, in part searched for, and in part deferred to new choices that will have to be invented.

The project is a sort of unorthodox curriculum that takes shape as it progresses. Or perhaps we could say, a field of experience for observation and re-thinking in which children and adults work together.

Loris Malaguzzi

E poi le fontane, che debbono essere grandi e vere e lanciano l'acqua in alto.
Il progetto è già delineato. Gli manca qualcosa?
Forse una sua definizione più chiara e eccitante?
Bene arriva anche quella. "Faremo un luna park per gli uccellini"!
Un'idea madre che genererà molti figli.

Il parlamento si scioglie. Verranno altre sedute per dare forma e concretezza
alle idee. Un laboratorio lungo dove le mani lavoreranno coi pensieri e le
invenzioni per dare dimensioni vere al luna park che sorgerà e funzionerà nel
parco.

Il tema delle fontane è bello, suggestivo, importante, difficile.
È quello qui raccontato.
È solo un capitolo dell'impresa che ha impegnato non poco le forze dei
bambini, sedotti dal fascino delle fontane che sanno sollevare l'acqua dalla
terra, scagliarla verso il cielo o aiutarla a cadere con leggerezza o a rompersi
in zampilli e a scoprire i segreti di tanta magica abilità.

Qui si racconta quello che i bambini hanno detto e fatto.
A volte ideando, argomentando, facendo da soli, a volte chiedendo coraggio
e assenso, a volte incrociando le mani e i pensieri con quelli degli adulti.
In tutti i casi cercando di pensare o di fare insieme, sfruttando i momenti forti,
aggiustando le azioni e gli atti che hanno portato alla realizzazione degli
obiettivi.

In sintesi ciò che esce dall'assemblea del che fare è l'idea di un percorso su
tema che bambini e adulti si danno.
Un lavoro da farsi insieme con procedure e forme e direzioni di cammino che
in parte si predicono, in parte si cercano, in parte si rinviano a scelte da
inventare.
In realtà un progetto curricolare, che, fuori dalle ortodossie, prende forma
lungo la strada. O, se si vuole, un campo di esperienza osservativa e di
ripensamento riservato a bambini e adulti.

Loris Malaguzzi
Pedagogista
Fondatore dell'esperienza educativa di Reggio Emilia
Educator-Founder of the "Reggio Emilia Approach"

The game of "what to do"

The game of "what to do" is a situation that is proposed throughout the year, whenever adults, children, or events provide the need or opportunity to discuss a new work project.

Carrying out a project means predicting and anticipating ideas and facts (which may be modified due to chance or intentionally during the course of the project) in view of reaching an objective. It is a rigorous and hypothetical game that the children know how to confront as a group with a high level of concentration and often with incredible ability.

All the children in the class participate in the general consultation, even when the project, which has precise aims for exploration and study of productive and cooperative abilities, will be entrusted to a single small group of children (4-6) who sometimes volunteer and other times are chosen by the adults.
There is always, however, a continuous flow of information between the children who are directly involved and their classmates.

The choice of the project content is almost always suggested by the facts, discussions, and interests that emerge from the children's own experience, thus ensuring that the ideas are positively received and that interest and motivation are high.
The theme of the project that emerges from the initial consultation, along with the intermediary objectives and procedures, will be the subject of other preliminary meetings between the children.
Our aim is for them to gain experience in discussing, negotiating, and organizing ideas, and to be able to project these ideas into the suitable and possible spaces of the selected theme, without being afraid of making mistakes, correcting or changing.

Cos'è il gioco del che fare

Il gioco del che fare è una situazione che si propone più volte nel corso dell'anno, ogni qualvolta adulti, bambini o eventi avvertono il bisogno o l'opportunità di discutere e formulare un nuovo progetto di lavoro.

Progettare significa prevedere e anticipare idee e fatti (che potranno modificarsi nel corso dell'esecuzione per eventi casuali o voluti) in vista del raggiungimento di un obiettivo.
Un gioco rigoroso e ipotetico che i bambini sanno affrontare in gruppo con buona concentrazione e, spesso, con incredibile abilità.

Alla consultazione in genere partecipano tutti i bambini della sezione anche quando il progetto, che ha precisi scopi esplorativi e di studio circa le capacità realizzatrici e cooperative, sarà affidato ad un solo gruppetto di bambini (da 4 a 6) che a volte si auto-scelgono, a volte vengono scelti dagli adulti.

È previsto che tra i bambini protagonisti e i compagni intercorra un continuo passaggio di informazioni.
Quasi sempre la scelta dei contenuti del progetto è suggerita da fatti, discorsi, interessi che, emergendo dall'esperienza stessa dei bambini, assicura una buona accoglienza e soprattutto una buona carica di motivazioni e interessi.
Il tema del progetto uscito dalla consultazione, i suoi obiettivi intermedi, le sue procedure, saranno oggetto di altri incontri preliminari da parte dei bambini.
La finalità è di abituarli a dialogare, a negoziare, e organizzare idee e a inoltrarle negli spazi congruenti possibili del tema prescelto, senza paura di sbagliare, correggere o cambiare.

The execution of the project often involves expanding the interactive and constructive processes by bringing in other children and teachers.
In this project, for example, all three age groups of the school - 3, 4, and 5 year-olds - participated in various phases of the project, which continued for four months.

Sometimes a project is simultaneously taken on by children of the same age in different schools, which offers a great deal of potential for comparison. Or it may happen that the project is proposed at the same time to children of 3, 4, and 5 in the same school, which also enables an analysis of the differences in processes and results.

The duration of a project cannot be defined a priori - it may last from 2-3

hours to 10 days to 2-3 months and more. As the object of observation and documentation, each project is followed by two teachers. One records the children's discussions using a tape recorder and by making her own notes, and the other uses a camera or videocamera to record the visual images.

The recordings and other documentation on the children's processes are opened to group discussion and analysis among all the teachers and between teachers and parents.

The design and realization of a project entrusted to groups of children is one of the fundamental educational elements of our experience.

This choice is explicitly related to constructivist theory and practice, to a school that researches by projects, to an educational concept that places essential value on the interaction between children and children (in addition to child-adult and adult-adult interaction) for the creative development of the logical, cooperative, expressive, imaginative, and symbolic languages of the child.

Anche perché l'impresa comincerà quando si darà corso ufficiale al progetto e si verificherà quante previsioni saranno confermate o smentite, rendendosi necessario il ricorso a supplementi di riflessioni e forse a decidere nuove soluzioni e nuove strategie.

Spesso l'esecuzione di un progetto prevede un allargamento dei processi interattivi e costruttivi chiamando alla partecipazione altri bambini e altri insegnanti. Così è avvenuto in questo progetto dove tutte e tre le sezioni dei bambini (3-4-5 anni) hanno preso parte a fasi diverse della sua realizzazione protrattasi per 4 mesi.

A volte il progetto è contemporaneamente adottato da bambini della medesima età, ma appartenenti a scuole diverse. È una prova che apre confronti. Altre volte il tema del progetto viene contemporaneamente proposto a bambini di 3, 4, 5 anni della medesima scuola. Un'operazione che consente anche qui un'analisi delle differenze dei processi e dei risultati.

I progetti, che occupano tempi di esecuzione spesso indefinibili a priori (che vanno dalle 2/3 ore, ai 10 giorni, ai 2/3 mesi), fatti oggetto di osservazione e registrazioni, sono seguiti da due insegnanti che ne curano la documentazione. Uno che raccoglie i discorsi dei bambini con l'ausilio di un registratore e di un quaderno di annotazioni, l'altro, le immagini degli stessi con l'aiuto di una macchina fotografica e di un video.

Sulla registrazione e documentazione dei processi si apriranno discussioni e approfondimenti collegiali da parte di tutti gli insegnanti e tra insegnanti e genitori. La progettazione e la realizzazione di una situazione affidata a gruppi di bambini è uno dei moduli didattici educativi propri della nostra esperienza.

La scelta si richiama esplicitamente a una filosofia e a una prassi costruttivista, a una scuola che fa ricerca per progetti, e a una concezione educativa che accredita determinante valore allo scambio sociale tra bambini e bambini (oltre che tra bambini e adulti, e adulti e adulti) per lo sviluppo creativo dei linguaggi logici, cooperativi, espressivi, fantastici e simbolici.

The "what to do" of the teachers

It is not easy to give a complete outline of the teacher's tasks.

Perhaps it would be better, first of all, to point out that the methods of observation as well as interpretation are inextricably linked to the strategies and aims of the educational project.

Thus the educational theories must be clearly defined and shared, particularly in terms of the roles of children, adults, and contexts in the learning and development processes. This means that there must be strong interaction and a critical coexistence of theory, practice, and the educational project itself.

Another important point is that the adult, as observer-participant, cannot exempt him/herself from being personally involved in some way in the situation being observed. For this reason, apart from the ability to distance ourselves, our level of self-control, and the awareness of our increased responsibility, the interpretive judgments we make on the processes and results of the project must remain open to re-thinking and if necessary re-working in order to justify their pertinence and importance.

Through this experience of interactionist strategies, the value of observation as research on the forms of learning and development is consolidated, through complex constructions that derive from the contributions of both adults and children, and the communicative and relational effectiveness of these contributions. Starting from these general indications, we can expand on the meanings of the "what to do" of teachers.

However, the teacher's tasks can only be mentioned in a broad sense, as they also involve the sensitivity and experience that the teacher contributes, and the resources which the adult must credit - first and foremost - to the children.

So, what to do?

Il che fare degli adulti

È difficile e problematico scandire un quadro dei compiti degli insegnanti.

Ci pare più opportuno sottolineare intanto che le modalità osservative, come quelle interpretative, sono connesse alle strategie e ai fini del progetto educativo.

Di qui la necessità che le teorie educative siano chiaramente definite e condivise, con particolare riguardo ai ruoli dei bambini, degli adulti, dei contesti nei processi di apprendimento e sviluppo.
Il che significa che tra teoria e pratica e lo stesso progetto esiste una forte interazione e una attenta convivenza critica.

Un secondo appunto vuole ricordare come colui che funge da osservatore partecipante, non può esimersi dal ritrovarsi dentro, in qualche modo, alla situazione che osserva: per cui, al di là delle sue capacità di distanziamento e autocontrollo e delle consapevolezze di un'accresciuta responsabilità, i suoi giudizi debbono restare aperti e possibilmente riproposti per motivare la loro rilevanza e pertinenza.
È attraverso questa esperienza di strategie interazioniste che si consolida il valore dell'osservazione come ricerca di forme di apprendimento e sviluppo, attraverso costruzioni complesse che derivano dai contributi degli adulti e dei bambini e della loro efficacia comunicativa e relazionale.
Da queste sommarie indicazioni è possibile ampliare i significati del che fare degli adulti. I loro compiti possono solo essere accennati, lasciati come sono alle ricchezze di sensibilità e esperienza che sanno immettere nell'azione e alle risorse che prima che a sé, accreditano ai bambini.

Che fare?

To be convinced that ways of knowing and learning can be identified, and that what we are interested in is discovering and understanding through which interactive processes children construct their knowledge and abilities, and how these processes can be enhanced or modified.

To trust our self-regulatory resources to differentiate and measure out the nature and quality of our intervention.

To be convinced that children and their cooperative group work are capable of carrying the project through, and that its success will also depend on our ability to guide and support them.

To respect children's times of thought and action, as well as those of pause and indecision.

To help children reflect on the possible differences of their opinions from those of others, and on their complete freedom, if they so choose, to oppose other opinions.

To help children stay on track as much as possible, to remain faithful to their objectives, the project, and the endeavors of their companions.

To help children present their ideas clearly, without overriding those of their peers, to help them not be afraid of making mistakes and to assure them that their ideas are legitimate.

To help children recognize the enrichment that comes from the negotiation of ideas and actions, to see the value of sharing and changing points of view, and the growth in organizational abilities, knowledge, and linguistic and communicative skills.

To conclude these brief and incomplete notes, the teacher's task is to be a mediator, offering carefully measured and pertinent loans of knowledge and skills, periodically producing summaries of the children's convergent and divergent elements and the points of arrival of their work, to highlight the emerging meanings, and to solicit the participation of each and every child through increasingly cooperative and productive interaction.

Essere convinti che i modi dell'apprendere e del conoscere sono individuabili e che ciò che li interessa è quello di scoprire e capire attraverso quali interazioni i bambini costruiscono le conoscenze e le abilità e come esse possono essere valorizzate o modificate.

Fare affidamento sulle loro risorse di autoregolazione per differenziare e dosare la natura e la qualità dei loro interventi.

Essere convinti che i bambini e il loro lavoro cooperativo di gruppo hanno i titoli per realizzare il progetto e che il successo dipenderà anche dalle loro capacità di condurli e sostenerli.

Rispettare i tempi di azione e di pensiero dei bambini, come i loro tempi di sosta e indecisione.

Aiutare i bambini a riflettere sulle possibili loro differenze di opinione e sulla piena libertà, se vogliono, di contrapporre liberamente altre opinioni.

Aiutare i bambini a divagare il meno possibile, a restare fedeli ai percorsi degli obbiettivi e del progetto e dell'argomentare dei compagni.

Aiutare i bambini ad esporre con chiarezza i loro pensieri senza sovrapporli a quelli dei compagni, a non aver paura di sbagliare, a rassicurarsi della liceità delle loro idee.

Aiutare i bambini ad avvertire gli arricchimenti che provengono dalle negoziazioni delle loro idee e delle loro azioni, il valore degli effetti legati alla condivisione e al superamento dei punti di vista, la crescita delle abilità organizzative, delle conoscenze, delle loro capacità linguistiche e comunicative.

Per concludere queste note sommarie e incomplete, agli insegnanti, tocca il compito di assumere ruoli di mediazione, proporre prestiti misurati e pertinenti di sapere e competenza, produrre di tanto in tanto riassunti degli elementi convergenti e divergenti dei bambini e i punti di arrivo del loro lavoro; mettere in risalto i significati emergenti; sollecitare la partecipazione di tutti e di ogni bambino, attraverso gestioni interattive sempre più collaborative e produttive.

In one essential concept, the teacher's is task to preserve, as far as is possible, the naturalness of the children's creative and practical processes, in the conviction that children have the necessary resources for going much further than we might think. We must ensure that children express the best of their resources and the maximum ability to internalize and reorganize the meanings that emerge from their experiences, so that the realization of the project maintains its promises and its objectives for personal development.

In un concetto essenziale, il loro compito è quello di preservare, per quanto possibile, la neutralità del decorso dei processi ideativi e pratici dei bambini, convinti che essi hanno risorse per andare più lontano di quanto si pensa.

E fare in modo che i bambini esprimano il meglio delle loro risorse e il massimo di interiorizzazione e riorganizzazione dei significati delle esperienze che compiono, cosicché la realizzazione del progetto mantenga le sue promesse e i suoi obiettivi di sviluppo della personalità.

L'idea del luna park e delle fontane
The idea of the amusement park and the fountains

Simone :
Ehi ragazzi, e se facessimo un luna park per gli uccellini?

Hey, you guys! What if we made an amusement park for the birds?

...
Elisa :
Great idea! Come on, let's do it! Let's make an amusement park for the birds.
They'll have fun and we'll have fun, too. Okay?

Filippo :
Yeah, let's do it. For the cats, mice, and bats, too!

Andrea :
Hey, guys, do you want to make some rides?

Elisa :
A witches' castle!

Tiziano :
The ticket booth for the birds that want to go in!

Andrea :
The amusement park will be fun for the kids and for the birds, too.
Maybe they're already having fun. They heard us talking about them and
they said: "Wow! What a great idea!"

...

Elisa :
Bella idea, dai, dai, facciamo un luna park per gli uccellini, li facciamo divertire
e ci divertiamo anche noi.
Lo facciamo?

Filippo :
Dai lo facciamo. Anche per i gatti, i topi... i pipistrelli.

Andrea :
Ehi, ragazzi facciamo delle giostre?

Elisa :
Un castello delle streghe?

Tiziano :
La biglietteria per gli uccellini che vogliono entrare.

Andrea :
Il luna park fa molto divertire i
bambini e anche gli uccellini.
Forse si stanno già divertendo.
Hanno sentito le nostre voci che
parlavano di loro e hanno detto:
"Ma che bella idea che hanno
avuto".

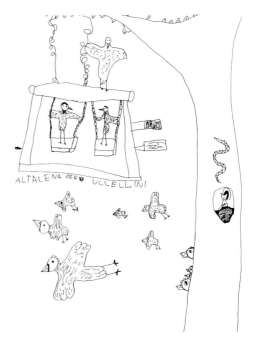

Filippo :
Altalena per uccellini giovani
Swing for baby birds

Giorgia :
And what about some fountains? That way the birds could take a bath.
To make a fountain we have to put some pipes and the water gets pushed up
by a motor.

Agnese :
Let's make lots of fountains. That way they won't argue and they'll all get
along.

Simone :
The fountains ..... I'll make mine, you make yours....

Andrea :
But it's hard to make fountains. In drawings, no, but really make them, yes.

Alice :
Giovanni and the teachers will help us.
I'm going to try to make one all by myself.

Federica :
Fontana e laghetto
del luna park degli
uccellini
Fountain and little
lake of the
amusement park
for birds

Andrea :
Ascensore per uccellini anziani
Elevator for elderly birds

Giorgia :
E se facessimo delle fontane? Gli uccellini così andrebbero a fare il bagno.
Per fare una fontana dobbiamo mettere dei tubi e l'acqua viene buttata su da
un motore.

Agnese :
Facciamo tante fontane così non litigano e vanno d'accordo.

Simone :
Le fontane... io faccio la mia, tu la tua...

Andrea :
Ma è difficile farle.
In disegno no, ma per farle davvero sì.

Alice :
Ci aiuteranno le maestre e Giovanni.
Io tenterò di farle da sola.

Agnese :
Parco dei
divertimenti
per uccellini
*Amusement
park for birds*

A vedere fontane
To see a fountain

Giorgia :
La più bella è quella del teatro, spruzza molto alto, innaffia tutti i fiori intorno.

The best one is that one near the theater. It sprays water real high and waters all the flowers around it.

Water and fountains are the subjects that most capture the children's interest and desire for exploration.

The city offers many models of fountains.

Field trips are made on two different mornings.

The children see, explore, and comment on what they've seen, what they remember, whatever comes into their heads.

Photos are taken by both children and adults.

Sketches and drawings are made, and everything is reported back to the classmates.

L'acqua e le fontane sono i grandi oggetti dell'interesse e dell'esplorazione dei bambini.

La città offre molti modelli di fontane.

Il viaggio dura due mattine.

Si vede, si esplora, si commenta quello che si vede, quello che si ricorda, quello che viene in mente.

Si scattano foto sia da parte dei bambini che degli adulti.

Si fanno schizzi e disegni e si racconta tutto ai compagni di scuola.

Agnese :
Fontana dei leoni
Lion fountain

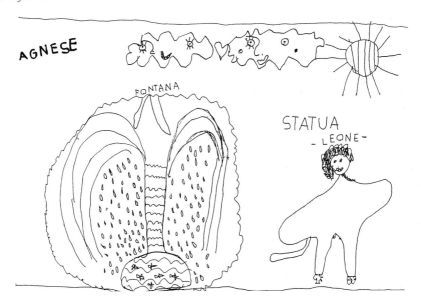

Simone :
The angel fountain is in the park, yesterday we drew it. I made four pictures.

Filippo :
Why four?

Simone :
You have to go all around the fountains because they're sort of round.

Giorgia :
Yesterday we got splashed. The wind moved the spray from the fountain.

Elisa :
A dog jumped in, had a drink, and then played in the spray.

Simone :
There was a fountain where you can drink, too.

Alice :
There was one in the square, too. It had two faces, with little pipes in the mouths where the water comes out.

Elisa :
In towns there are always some drinking fountains.

Filippo :
... and they're called "springs" like the ones in the mountains.

Andrea :
I always drink at the springs.

Simone :
I think they're all called fountains.

Filippo :
Maybe the ones in the mountains are called springs and the ones in the town are called fountains.

Simone :
La fontana degli angeli è nei giardini, ieri l'abbiamo disegnata, io ne ho fatte quattro.

Filippo :
Perché quattro?

Simone :
Alle fontane bisogna girarci intorno perché è come rotonda.

Giorgia :
Ieri ci siamo spruzzati, il vento ha spostato gli spruzzi della fontana.

Elisa :
Un cane si è tuffato, ha bevuto, e si è squassato le gocce.

Simone :
C'era anche quella da bere di fontane.

Alice :
C'era anche nella piazza della città. Aveva due facce con dei tubini in bocca da dove usciva l'acqua.

Elisa :
In città ci sono le fontane da bere...

Filippo :
Che si chiamano fonti poi, come quelle di montagna.

Andrea :
Io bevo sempre alle fonti.

Simone :
Secondo me si chiamano tutte fontane.

Filippo :
Forse si chiamano fonti in montagna e fontane in pianura.

Giorgia :
The best one is that one near the theater. It sprays water real high and waters all the flowers around it.

Andrea :
A friend of mine fell in one time, and I don't think she knew how to swim, so her daddy had to jump in and save her.

Alice :
I always see lots of people around the fountain who like to watch it.

Giorgia :
Children are always running around and playing too.

Andrea :
And birds too, they go there to drink and take a bath.

Giorgia :
La più bella è quella del teatro, spruzza molto alto, innaffia tutti i fiori intorno.

Andrea :
Una mia amica ci è scivolata dentro, non credo che sapesse nuotare, suo papà si è dovuto tuffare dentro alla fontana per salvarla.

Alice :
Intorno alle fontane ho sempre visto delle persone che le guardavano.

Giorgia :
Anche dei bambini che corrono intorno e giocano.

Andrea :
Anche degli uccelli che ci vanno a bere e a fare il bagno.

Elisa :
Fontana del Teatro Municipale
Fountain at the Municipal Theater

Alice :
Fontana della piazza con i pesciolini
Fountain in the square with fish

Valentina :
Fontana dei giardini pubblici
Fountain in the public park

Giorgia :
La fontana del parco con il cane che ha fatto il bagno
Fountain of the park with the dog that took a bath

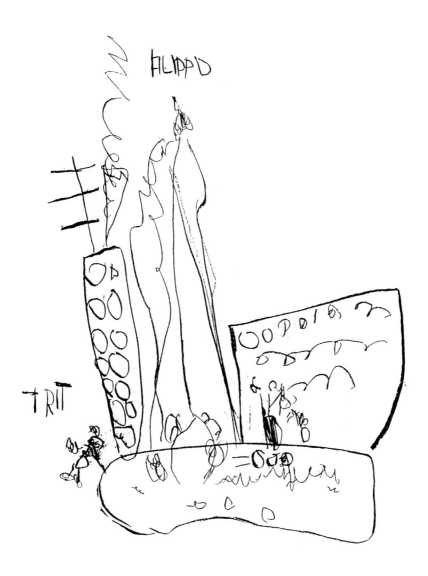

Filippo :
Fontana della città
Fountain of the town

41

Discorsi sulle fontane
Talking about fountains

Alice :
Io le ho viste in montagna, erano di ghiaccio, bellissime!

I saw some fountains made of ice in the mountains. They were beautiful!

Andrea :
You know, some fountains are used for taking baths.

Simone :
Not for people, though - for birds.

Agnese :
For dogs, too.

Simone :
Dogs too?

Federica :
Cats take a bath in the fountains, too.

Filippo :
Fountains are really beautiful to see.
Yesterday in town I saw some birds go
and dive into the fountain.

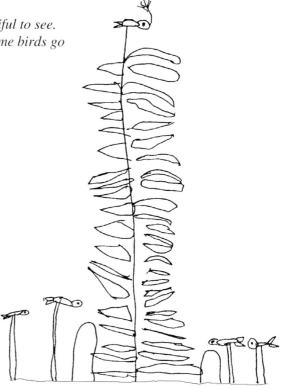

Alice :
Fontana di ghiaccio
Ice fountain

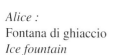

Filippo :
Fontana del monte
Fountain in the mountains

Andrea :
Sai, certe fontane servono per lavarsi.

Simone :
Non per le persone, per gli uccellini.

Agnese :
Anche per i cani.

Simone :
Anche i cani?

Federica :
Anche i gatti si vanno a lavare nelle fontane.

Filippo :
Una fontana è una cosa bella da vedere. Ieri ho visto in città degli uccellini
che andavano a tuffarsi alla fontana dei giardini.

Simone :
Well, maybe a fountain is something useful, it's good for lots of things, for dogs and cats and birds.

Alice :
I saw some fountains made of ice in the mountains. They were beautiful!

Federica :
I saw an ice fountain too. It was all angels made out of ice.

Filippo :
I saw the one in the park and the water went up straight, then it fell down.

Giorgia :
I saw one made out of concrete, in a park in Padova I think, it was like a weeping tree.

Simone :
You know, a fountain is sort of like a... maybe it's like a sculpture, like we do with clay.

Filippo :
Yeah, maybe... we've never made fountains out of clay but we've made other stuff.

Simone :
Fontana da bere
Drinking fountain

Federica :
Fontana degli
uccellini
*Fountain for
birds*

Simone :
Potremmo dire che una fontana è
una cosa utile, serve a tante cose,
ai cani, ai gatti, agli uccellini.

Alice :
Io le ho viste in montagna,
erano di ghiaccio, bellissime.

Federica :
Anch'io l'ho vista una fontana,
c'erano tutti degli angioli
di ghiaccio.

Filippo :
Io ho visto quella dei giardini e l'acqua saliva in alto diritta, poi cadeva giù.

Giorgia :
Io ne ho vista una fatta di cemento, era forse a Padova in un giardino, era come
un albero piangente.

Simone :
Vedi una fontana è un po' come una… forse si potrebbe dire come una scultura,
come noi facciamo in creta.

Filippo :
Forse… anche se noi non abbiamo mai fatto delle fontane con la creta,
ma abbiamo fatto altre cose.

Andrea :
I know one, in the square, where you can drink. There are two faces and a metal bar where the water comes out. You drink in a glass that you bring. The water comes out all the time, I think. There are the faces and a little pipe.

Filippo :
In the fountain I saw there's a first level that sprays the water out flat, and the second level spurts it out stronger, and in the last one the water goes up with the pipes.

Andrea :
In the fountain in the park, there's a man's face drawn on the bricks.

Giorgia :
If you walk all the way around the fountain, there are lots of faces.

Giorgia :
Fontana dell'amore
Fountain of love

Andrea :
Io ne saprei una, sempre in piazza, quella si può bere. Ci sono due facce e una stanghetta di ferro dove esce l'acqua, e tu bevi col bicchiere che ti sei portato. Esce sempre credo. Ci sono delle facce e un tubo piccolino.

Filippo :
Nella fontana che ho visto io c'è il primo piano che butta piano l'acqua, il secondo la butta più forte e nell'ultimo va su coi tubi.

Andrea :
Nella fontana dei giardini c'è la faccia di un uomo disegnato sui mattoni.

Giorgia :
Se tu ci giri intorno alla fontana, ne vedi tante di facce.

Simone :
Fontana degli spruzzi
Spraying fountain

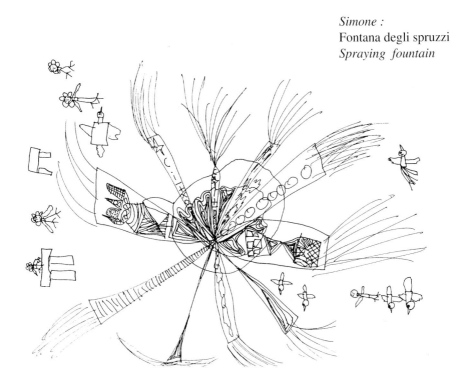

I primi modelli costruttivi
The first constructed models

Giorgia :
Ci può essere una fontana con un bimbo sopra che butta l'acqua dalla bocca .

There could be a fountain with a kid on top who lets the water out from his mouth.

Federica :
La mia è una fontana grande che si chiama Fontana degli Angeli.
Si chiama così perché ha degli angeli che sono delle statue. Ho fatto due angeli grandi in alto, sopra al bastone... sopra al tubo grande da dove viene fuori l'acqua della fontana. Poi ho fatto un angelo piccolo che ho messo nella vasca insieme ai pesciolini e alle tartarughe. La vasca è tutta di vetri, così l'acqua non esce fuori e si può vedere dentro, perché il vetro è trasparente. Sotto la vasca ci ho fatto come delle specie di colonne per tenere su bene tutta la fontana.

My fountain is a big one and it's called The Angel Fountain. That's because it has some angel statues. I made two big angels on the top, above the stick... above that big pipe where the water comes out. Then I made a little angel that I put in the pool with the fish and turtles. The tank is made out of glass, so that water doesn't come out and you can see inside, because glass is clear. Under the pool I made some sort of columns to hold up the whole thing.

Andrea :

My fountains are the statue fountains, a little one and a big one - no maybe it's medium-sized. They have pools where the water stays. They have a pedestal that holds up the fountain with the statues. In the biggest fountain there are two statues, in the little one there's only one. I'm trying to decide where the water will come out - maybe from the ears, or the nose or eyes of the statues.
The statues are things made of bricks, but if you want to make them well, you make them out of clay, like me.
Masons are good at making statues, we're not so good at it.

Andrea :
Le mie fontane sono le fontane delle statue una piccola e una grande... no...
forse è media.
Hanno le vasche dove sta poi dentro l'acqua.
Hanno un piedistallo che fa stare su la fontana con le statue.
Nella fontana più grande ci sono due statue, nella più piccola c'è solo una
statua. Sto pensando da dove poi verrà fuori l'acqua: forse dalle orecchie,
o dal naso, o dagli occhi delle statue.
Le statue sono delle cose fatte di mattoni, ma, se uno le vuole fare bene,
le fa con la creta come me.
Le statue le sanno fare bene i muratori e noi siamo meno bravi.

Giorgia :
La mia fontana ha un piedistallo che la tiene su, poi c'è una specie di tazza che tiene su l'acqua che viene fuori da questa specie di tubo che è nel centro. L'acqua viene fuori da sinistra e da destra. La fontana butta fuori l'acqua un po' a spruzzo. È una fontana come un arcobaleno, fatta con un po' di curva. È una fontana piangente perché l'acqua viene giù dalle parti come un albero piangente. In alto ci sono dei cuoricini come nel disegno.

My fountain has a pedestal that holds it up, then there's a sort of cup that holds up the water that comes out of this kind of pipe that's in the middle. The water comes out from the left and the right. The fountain shoots up the water like a spray. It's a fountain like a rainbow, made in a curve. It's a crying fountain because the water comes down from the parts like a weeping willow tree. At the top, there are two hearts like in my drawings.

Alice :
È una fontana di ghiaccio che ho visto in montagna dove c'era tanta neve. Ho fatto l'acqua di ghiaccio che viene giù. Sopra alla fontana c'è un pesciolino fatto sempre di ghiaccio. Sotto ci sono dei pesciolini fatti di ghiaccio tenuti su da un tronco. L'acqua è andata su ed esce da tutti quei buchini lì fino al pesciolino in alto.

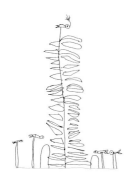

It's a fountain of ice that I saw in the mountains where there was lots of snow.
I made ice water that comes down. At the top of the fountain, there's a fish made of ice, too. At the bottom, there are some fish made of ice held up by a trunk.
The water goes up and comes out of those holes up there near the fish on top.

Teorie sul funzionamento delle fontane
Theories on how fountains work

Elisa :
C'è un tubo dentro alla fontana... l'acqua va di nuovo su dal tubo
e così non finisce mai.

*There's a pipe inside the fountain... the water goes back up from the pipe
and so it never finishes.*

Andrea :
Le fontane funzionano sempre, l'acqua viene dai tubi sottoterra…
è l'acquedotto che fa andare le fontane.

Fountains work all the time, the water comes from pipes under the ground.
It's the aqueduct that makes the fountains go.

Andrea :
L'acquedotto è sempre pieno d'acqua; la prende dal cielo quando piove.

The aqueduct is always full of water. It takes it from the sky when it rains.

Filippo :
This is the Angel Fountain. It has a coin up there in front with the face of a man like a 100 lira coin. I think there are pipes inside that carry the water. They stop inside the rock to make the water come out and they stop on the surface.
To make the fountains prettier, they make different kinds of sprays.
The pipes take the water from the aqueduct, it starts going fast when they tilt down and go toward the fountain. The water runs all the time.
But not if somebody closes the big faucet! When it rains, it's the rain that feeds the aqueduct.
The air pushes the water. There are some huge compressors in the aqueducts, but you never see them. The pool at the bottom of the fountain has the same water - maybe they change it once a year.
Then they put it in the river that goes to the sea, and there in the sea there's a purifier or a ship that cleans it.

Filippo :
Questa è la Fontana degli Angeli. Ha un soldo lì davanti con la faccia di un uomo come nelle 100 lire. Secondo me ci sono dei tubi dentro, che portano l'acqua. Si fermano dentro al sasso per fare venire fuori l'acqua e si fermano in superfice.
Per fare più belle le fontane, fanno spruzzi diversi. I tubi prendono l'acqua dall'acquedotto, prendono velocità se pendono e vanno fino alla fontana. L'acqua viene in continuazione. Se qualcuno chiude il grande rubinetto, no! Quando piove è la pioggia che alimenta l'acquedotto.
L'aria spinge l'acqua.
Ci sono dei compressori enormi negli acquedotti, non si vedono mai però. La vasca della fontana ha la stessa acqua, la cambiano una volta all'anno forse.
Poi la mettono nel fiume che va al mare e lì, nel mare, trova il depuratore o una nave che la pulisce.

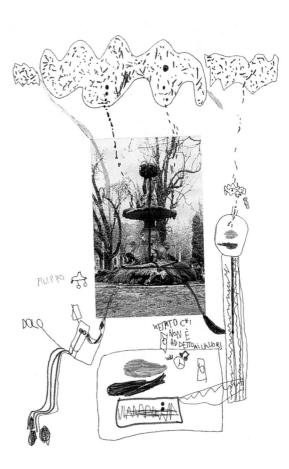

Elisa :

There's a pipe inside the fountain... the water goes back up from the pipe and so it never finishes. The water comes out at the top, because there's a tap attached to the pipe that gets opened. The water comes down from the sky - it's rain - and then it goes down the mountains, goes into the holes in the mountains, and goes down into the lake that's there at the bottom of the mountain. Then there's a canal that slopes down that carries the water first to a lake and then to the aqueduct. There are lots of passages under the ground, and the mice drink some of the water. They just drink a little, and the rest goes on to the fountains, it goes up the rocks of the fountain... then the rock is like a slide and the water goes back down.

Elisa :
C'è un tubo dentro alla fontana... l'acqua va di nuovo su dal tubo e così non finisce mai. L'acqua viene fuori alta, perché attaccato al tubo c'è un rubinetto che viene aperto. L'acqua viene giù dal cielo, è pioggia, scende dalla montagna, entra nei buchetti della montagna e va a finire in un lago che c'è sotto, in fondo alla montagna. C'è poi un canale un po' in discesa che porta e fa andare l'acqua prima in un lago poi in un acquedotto. Le strade che ci sono sottoterra sono tante e i topi un po' bevono quell'acqua. Dell'acqua ne bevono pochina, l'altra finisce nelle fontane, sale dalla roccia della fontana... poi la roccia fa come da scivolo e la fa ricadere.

Simone :
*We did some
drawings,
me and Andrea,
how to make
the angel fountain
work that's in the
park.*

Andrea :
*Yeah, we did it together, on a special kind of paper that was stuck on a plastic
glass...*

Simone :
*Yeah, it's a magic glass. On the sheet of paper, the picture of the angel
fountain was in front and behind too, it was always the front of the fountain.
It was sort of like a magic mirror.*

Andrea :
*You could see how the fountain was made... I think there was a little motor
at the top of the fountain that pushed the water up.*

Simone :
*I think all fountains are full of pipes inside that make them work... maybe
the water goes up, up all the way to the top, where the trees stop.*

Andrea :
*In the fountains the water sprays all over your face... inside the fountains
there are some pipes that go up and they take the shape of the fountain,
they bend a little bit around the pools and then they go up to the top... but
I don't know where they get the water from...*

Simone :
Io e Andrea abbiamo disegnato come fa a funzionare la fontana degli angeli dei giardini pubblici.

Andrea :
Sì, l'abbiamo fatto insieme su una carta speciale che era attaccata a un vetro di plastica.

Simone :
Eh, un vetro molto magico...
... nel foglio di carta la fotografia della fontana degli angeli era davanti e anche dietro, era sempre il davanti della fontana, era un po' come uno specchio magico.

Andrea :
Si vedeva bene come era fatta la fontana;
secondo me c'era un motorino, in alto nella fontana, piccolo che spinge l'acqua in alto.

Simone :
Secondo me tutte le fontane sono piene di tubi dentro che poi le fanno funzionare... forse l'acqua va su, su fino in alto, dove finiscono gli alberi.

Andrea :
Nelle fontane l'acqua ti spruzza tutta la faccia...
... dentro alle fontane ci sono dei tubi che vanno in alto e prendono la forma della fontana, si piegano un pochino intorno alle vasche e arrivano fino in cima... però non so dove prendono l'acqua.

Simone :
Forse prendono l'acqua da dei contenitori che stanno sotto alla fontana, sotto all'acqua della vasca... beh... ci sono dei tubi che prima sono uno, poi due e poi tre e alla fine uno in alto che spruzza.

Andrea :
E in basso c'è un motore che spinge l'acqua in alto.

Simone :
Maybe they get the water from some containers that are under the fountain, under the water in the pool... you know, there are some pipes, first one, then two and then three and then at the top there's one that sprays.

Andrea :
... and at the bottom there's a motor that pushes the water up to the top.

Simone :
I think there are some real big tanks full of water. See? We made two, one on one side and one on the other side. At the top there's a scale that tells you if there's water in the tanks. For example, if the scale is even, it means there's water in the tanks and the fountain works; if they're bent it means that there's just a little water and you have to push the buttons inside the switch to fill it up.

Andrea :
You know, you need a lot of water to make the fountain work good...

Simone :
Some of the water escapes...

Andrea :
Some of it the dogs drink...

Simone :
Yeah, and a little bit stays in the pool... you need the water in the pool, some

of it gets sprayed away and if you turn on the switch when there's just a little, you make the tanks stay full.

Andrea :
We did a good job, didn't we Simone?

Simone :
We're the great fountain builders!

Simone :
Secondo me ci sono dei serbatoi pieni d'acqua molto grandi.
Vedi? Noi ne abbiamo fatto due, uno da una parte e uno dall'altra.
In alto c'è una bilancia che ti dice se c'è l'acqua nei serbatoi.
Per esempio se la bilancia è pari vuol dire che c'è dell'acqua nei serbatoi e la
fontana funziona, se sono piegati vuol dire che c'è poca acqua e devi spingere
i bottoni che ci sono nell'interruttore per riempirla.

Andrea :
Sai, nelle fontane ci vuole molta acqua per farle funzionare bene…

Simone :
Un 'po' di acqua
scappa via…

Andrea :
Un po' la bevono
i cani…

Simone :
Eh sì, e un po'
rimane nella vasca…
l'acqua della vasca
serve, un po' va via
spruzzata e quando
ce n'è poca
di acqua attacchi
l'interruttore e fai
stare i serbatoi
sempre pieni.

Andrea :
Noi siamo stati bravi, vero, Simone?

Simone :
Noi siamo stati dei meravigliosi costuttori di fontane!

I bambini di Galileo: ricerche e sperimentazioni
Galileo's children: research and experimentation

Federica :
Abbiamo fatto una bella macchina con Giovanni. Adesso possiamo fare tante prove con l'acqua che va piano, forte, che spruzza, che fa girare le pale del mulino, che fa le fontane con i tubi di gomma e tanti rubinetti.

We made a wonderful machine with Giovanni. Now we can make all the tests with the water that goes slow, fast, that sprays, that makes the water wheel turn, that makes a fountain with rubber hoses and lots of taps.

Galileo's children: research and experimentation

The children have now accumulated a great deal of discussion, information, theories, proposals, and actions.

Each of them knows much more and has discovered how each child has different ideas with which you can compare your own. And they have also realized at the same time that there are more things than before that they don't know, so the question marks have increased.

What has been set up by the teachers with the help and admiration of the children is a wonderful experimental situation that enables the children to multiply and verify their hypotheses on the nature of water - where it comes from, its speed, its force, how it can go up through pipes - and to know more about how fountains work and why the water that comes out, rising and falling, has so many different forms.

For days on end, the children will play and work with the water, the taps, pipes, sluice-gates*, sprays, tanks, basins, canals, water wheels, reservoirs, and the relationship between the inclination of the channels and the speed of the water.

Working, thinking, doubting, negotiating and arguing, greeting the arrival of new ideas, posing questions, learning how to ask for help from their direct experience.

* Sluice-gates: *The system for regulating the flow of water in irrigation canals.*

I bambini di Galileo: ricerche e sperimentazioni

I discorsi, le informazioni, le teorie, le proposte e le azioni messe insieme dai bambini sono già un bel mucchio.

Ognuno sa tante cose in più e ha scoperto come ognuno abbia idee diverse con cui confrontarsi.
E si accorge contemporaneamente che, nonostante tutto, le cose che non si sanno sono più di prima e gli interrogativi sono cresciuti.

Una buona situazione sperimentale che consenta ai bambini di moltiplicare e verificare le loro ipotesi sulla natura dell'acqua, la sua origine, la sua velocità, la sua forza, come riesce a salire attraverso i tubi, e saperne di più su come funzionano le fontane e perché diano forme diseguali all'acqua che esce, si alza e ricade, è stata allestita dagli insegnanti con l'aiuto e l'ammirazione dei bambini.

Per giorni e giorni i bambini trafficheranno con l'acqua, i rubinetti, i tubi, le chiaviche*, gli spruzzi, le vasche, le vaschette, i canaletti, le ruote del mulino, i serbatoi, i rapporti tra l'inclinazione dei canali di scorrimento e velocità dell'acqua.

Lavorano, pensano, dubitano, negoziano e disputano, salutano l'arrivo di nuove idee, si pongono domande, imparano come si chiede aiuto all'esperienza diretta sulle cose.

Le chiaviche: *Sistema di regolazione del flusso dell'acqua nei canali di irrigazione.*

Federica :
We made a wonderful machine with Giovanni. Now we can make all the tests with the water that goes slow, fast, that sprays, that makes the water wheel turn, that makes a fountain with rubber hoses and lots of taps.

Giorgia :
Look how all the tank moves - there are sprays all over the place, the water falls on Filippo's water wheel and from Simone's fountain it goes in a funnel and then fills up the glasses.

Federica :
We made a tank like my fountain - it's like there's glass on the outside.

Giorgia :
Fontana degli imbuti
The fountain of funnels

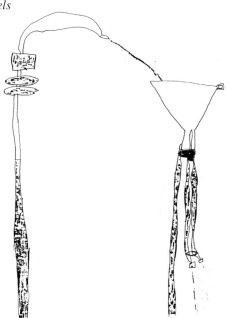

Federica :
Abbiamo fatto una bella macchina con Giovanni. Adesso possiamo fare tante prove con l'acqua che va piano, forte, che spruzza, che fa girare le pale del mulino, che fa le fontane con i tubi di gomma e tanti rubinetti.

Giorgia :
Guarda si muove tutta la vasca, ci sono spruzzi dappertutto, l'acqua cade sul mulino di Filippo e dalla fontana di Simone va in un imbuto e poi riempie i bicchieri.

Federica :
Abbiamo fatto una vasca come la mia fontana; sembra che ci sia il vetro fuori.

Filippo :
Here are some channels where the water comes out like a mountain stream.

Giorgia :
The pipe that pushes the water into the plastic channel in the tank does like a stream, the water goes down the channel that curves down and pushes the water a little.

Simone :
Maybe it doesn't push it, but the water slides...

Filippo :
... because water is slippery.

Andrea :
It's so liquid that it puts itself like you. For example, if you make a sort of channel with water and you keep it horizontal... the water stays still, it seems like it's not there, but if you bend a little the water starts moving and slides down and goes away.

Filippo :
Però qui ci sono i canali da dove viene l'acqua, come un torrente di montagna.

Giorgia :
Il tubo dell'acqua che butta l'acqua nel canale di plastica della vasca, fa come un torrente: l'acqua scende giù dal canale che è un po' piegato verso il basso e che spinge un po' l'acqua.

Simone :
Forse non la spinge, l'acqua scivola...

Filippo :
... perché l'acqua è un po' liscia.

Andrea :
È tanto liquida che si mette come vuoi: per esempio se tu fai una specie di canale con dell'acqua e lo tieni orizzontale... l'acqua sta ferma, sembra che non ci sia, ma se tu lo pieghi un po' lei non sta più ferma, scivola verso il basso, va via.

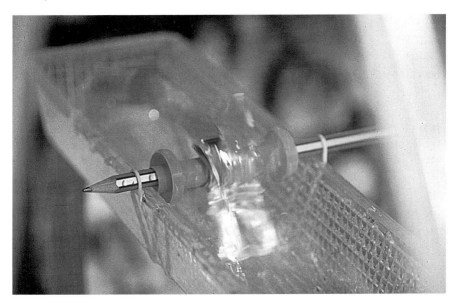

Giorgia :
The water in the tank is very powerful.

Filippo :
If you want to give it a big push, you have to make a lot of pressure on the water ... it's like you had a well with that thing in the middle... the pump that brings up the water. That way you have a lot of pressure.

Simone :
And what if there's not a pump?

Filippo :
Well, you do like the aqueduct, the tank where the water stays up high, and when they open the sluice-gate, the water runs down, it falls with lots of power, lots of pressure.

Andrea :
What if they put the tank down?

Filippo :
If they put it down the pressure is too far down, there's just a little air that pushes the water. If you want to have some pressure, you have to put in a hose and keep your finger in front of it and so it sprays farther. You get a high pressure and it sprays in little drops.

Giorgia :
The pressure is in the tap.

Filippo :
... in the aqueduct.

Andrea :
... in the pipe.

Giorgia :
L'acqua nella vasca è molto potente.

Filippo :
Se tu vuoi dare molta spinta, devi dare molta pressione all'acqua... è come se tu hai un pozzo con quella cosa dentro... la pompa che tira su l'acqua... così hai molta pressione.

Simone :
Se non c'è la pompa?

Filippo :
Infatti, si può fare come l'acquedotto, il serbatoio dove l'acqua sta in alto e quando aprono la chiavica, l'acqua scende giù, cade con tanta potenza, con tanta pressione.

Andrea :
E se lo mettiamo giù il serbatoio?

Filippo :
Se lo mettiamo giù è troppo poca la pressione, c'è poca aria che spinge l'acqua. Se vuoi un po' di pressione ci devi mettere un tubo e tenerci un dito davanti e spruzza più lontano, ci viene una pressione alta e spruzza a gocce piccole.

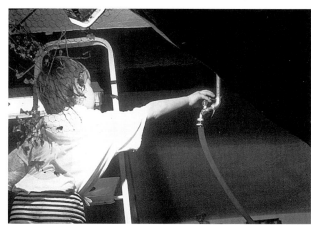

Giorgia :
La pressione sta nel rubinetto...

Filippo :
... nell'acquedotto.

Andrea :
... nel tubo.

Alice :
Yesterday I tried putting my finger over the hose in the tank and I sprayed water all over me, but if you press just a little, it sprays just a little.

Simone :
I put the plastic hose in the glass and the water that is strong presses against the glass inside and makes like a fountain, sort of a ray, sort of like a circle.

Alice :
Elisa made a fountain with some plastic pipes with the water that makes a waterfall then and falls into some cups.

Elisa :
The cups are sort of like a basin that fills up little by little and finishes in a waterfall that goes into the lake.

Filippo :
If you want to, you can make a fountain like Valentina did... there's a pipe that is first one and then two, then three, then four - it makes a spraying fountain.

Alice :
It makes a lot of sprays, like really strong rain.

Andrea :
The sprays make all the water move, then the fountain sprays high and the more it comes down the more noise it makes.

Alice :
La fontana degli uccelli
The fountain of birds

Alice :
Io ho provato ieri a mettere un dito davanti al tubo della vasca e mi sono spruzzata tutta, però se schiacci poco spruzza poco.

Simone :
Io invece ho messo il tubo di plastica dentro al bicchiere e l'acqua che ha molta forza si schiaccia dentro al bicchiere e fa come una fontana, una specie di raggio, un po'come un cerchio.

Alice :
L'Elisa ha fatto una fontana con dei tubi di plastica, con l'acqua che poi diventa una cascata e casca dentro a dei bicchieri...

Elisa :
I bicchieri sono un po'come una vasca che si riempie piano piano e finisce in una cascata, che poi va a finire nel lago.

Filippo :
Se vuoi puoi fare una fontana, la puoi fare come la Valentina... c'è un tubo che poi diventa uno, poi due, poi tre, poi quattro, diventa una fontana spruzzante.

Alice :
Fa tanti spruzzi, come se fosse una pioggia fortissima.

Andrea :
Gli spruzzi fanno muovere tutta l'acqua, poi la fontana spruzza in alto e più casca giù più fa rumore.

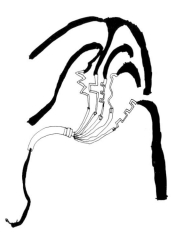

Valentina :
Fontana delle cannucce
The fountain of straws

Simone :
Yeah, a lot of noise... tons! My waterfall sprays everything and when it sprays it makes the pinwheel in the pool move too.

Filippo :
Well ... my water wheel with the water that falls over it and then it makes some sounds... it makes some old sounds, maybe that's because the water hits against the paddles, it's like a river...

Alice :
... a house in the mountains...

Andrea :
I think it's like a sea...

Filippo :
You're right, like the sea in a storm.

Federica :
Fontana delle tazze
The fountain of cups

Simone :
E sì, un rumore… un casino. La mia spruzza tutta e quando spruzza fa muovere anche la girandola della vasca.

Filippo :
Beh… il mio mulino, con l'acqua che gli cade sopra, poi fa un po' di suoni… fa un po' di suoni vecchi, forse è colpa dell'acqua che sbatte nelle pale, sembra un fiume…

Alice :
… una cascata di montagna.

Andrea :
Secondo me sembra un mare.

Filippo :
Hai ragione un mare in burrasca.

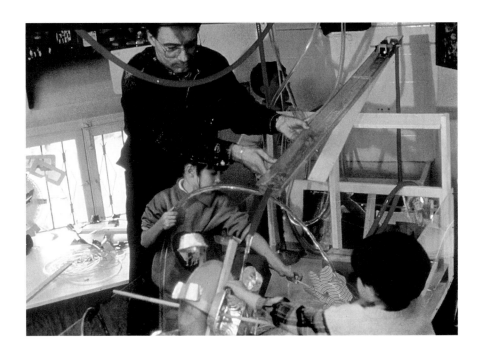

Se vogliamo fare le fontane vere
If we want to make real fountains

Andrea :
Se costruissimo delle fontane vere dovremmo farle col ferro, o con il legno, o con il cemento, insomma dure.

If we built some fountains, we'd have to make them with iron or wood or cement - I mean hard things.

Simone :
If you want to make real fountains, you have to have a lot of pressure.

Filippo :
We can do like when rivers dry up, we can make a bend in the pipe and make it go down from the window into the courtyard - you know what a big waterfall that'll make?

Giorgia :
What if the water came all the way from the moon?

Andrea :
Our fountains would really spray hard!

Giorgia :
We'd all get wet, the fountains would go up to the sky!

Andrea :
Up to the sky, no! Because there's that magnet that Filippo talked about that makes all the water stick to the ground.

Simone :
Se vogliamo fare delle fontane vere ci vuole molta pressione.

Filippo :
Possiamo fare come quando prosciugano i fiumi; facciamo poi fare una curva al tubo e lo facciamo andare giù dal finestrino, in cortile: sai che cascata di acqua che ci viene!

Giorgia :
Ci pensate se l'acqua venisse dalla luna?

Andrea :
Le nostre fontane spruzzerebbero molto forte.

Giorgia :
Ci bagneremmo tutti, le fontane andrebbero fino al cielo.

Andrea :
Fino al cielo no! Perché c'è
la calamita che diceva Filippo
che fa stare tutta l'acqua
attaccata alla terra.

Simone :
Ehi, ragazzi ci pensate
se l'acqua volasse?

Giorgia :
Saremmo tutti bagnati.

Andrea :
... spruzzati!

Filippo :
... inondati!

Simone :
... squassati!

Simone :
*Hey - what if water could
fly?*

Giorgia :
We'd all get real wet.

Andrea :
... *sprayed!*

Filippo :
... *flooded!*

Simone :
... *soaked !*

Idee per un luna park degli uccellini e delle fontane
Ideas for the amusement park for birds and the fountains

Agnese :
C'è una fontana dei barattoli. C'è un rubinetto che butta l'acqua sul mulino dei cucchiai, poi l'acqua va giù e va a finire nel laghetto. Ho fatto anche una cascata d'acqua: va giù in un altro tubo e poi entra nel laghetto.

There's a fountain of tin cans. There's a tap that lets water out on the water wheel made of spoons, then the water goes down and goes into the lake. I made a waterfall too - it goes down in another pipe and then into the lake.

Filippo :
Altalene per uccellini
Swings for baby birds

Simone :
Trampolino per uccellini tuffatori
Diving board for birds who want to dive

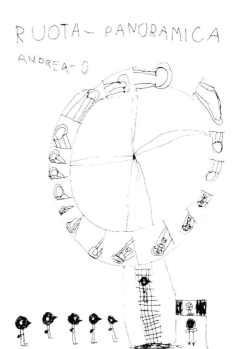

Andrea :
Giostra panoramica per uccellini piccoli
Ferris wheel for little birds

Giorgia :
Giostra delle barchette
Boat ride

Andrea :
Il luna park degli uccellini
The amusement park for birds

Andrea :
You have to be real good to build a fountain.

Filippo :
Well, we're pretty good - you just have to know how to do things.

Simone :
I know some things - I'm almost 6! To make a fountain, you have to be real careful to close off the connection points - otherwise, it's a big mess. At the bottom, you need a pool where the water ends up, then you have to be real careful to build the tall part, because it has to stand up.
Then we put in the water pipes and the water goes in, it goes up... it comes all the way up and then it makes a fountain.

Filippo :
I think you have to have a tap first, then when you've found it you can control the water and then make a fountain like you want and with the shape you want.

Giorgia :
I think you need a big pedestal for the fountain to stand on, and then a pipe that takes the water from under the ground and pushes it left and right and the fountain sprays all around.

Simone :
My dad told me you have to use Rigidium, *a strong kind of glue, if you need to build something sturdy... but I don't know where you can buy it.*

Andrea :
Per costruire le fontane bisogna essere bravi.

Filippo :
Un po' siamo capaci, devi solo sapere delle cose.

Simone :
Io un po' di cose ne so, ho quasi 6 anni! Per costruire una fontana devi stare molto attento a chiudere bene i posti di collegamento, se no succede un casino: in basso ci vuole una vasca dove l'acqua ci va a finire dentro, poi bisogna stare attenti a costruire bene il pezzo in alto, perché deve stare in piedi, poi mettiamo due tubi e l'acqua va dentro, va in su... viene su e così fa la fontana.

Filippo :
Io penso che per prima cosa ci vuole un rubinetto, poi, quando l'hai trovato, puoi comandare l'acqua e poi costruire una fontana come vuoi e con la forma che vuoi.

Giorgia :
Secondo me ci vuole un piedistallo bello grosso dove sta su la fontana, dopo ci vuole un tubo che prende l'acqua da sottoterra e la spinge a destra e a sinistra e la fontana spruzza tutto intorno.

Simone :
Mio padre mi ha detto che ci vuole il *rigidium*, una colla forte, se devi fare delle costruzioni robuste... non so dove si compera, però.

Andrea :
If we built some fountains, we'd have to make them with iron or wood or cement - I mean hard things. Inside, we can put the pipes with the water that comes from the aqueduct that's strong and powerful; then we can make a statue with clay. We can make a child, an angel, a fish, whatever we want - turn on the water and the fountain goes!

Federica :
You see in my drawing? I put glass so you can see how the water moves inside.

Filippo :
To make fountains, we need to know other things...

Andrea :
What things, Filippo?

Simone :
I think we know enough already.

Giorgia :
Maybe we need to know what to name the fountain.

Filippo :
We need to know how all the fountain is made, not just in the front, but behind too, and then... you have to know where the handle is for turning off the water. In Civago, there's a fountain that you press and the water comes out and there's a hole up high that lets the water out in spurts, in little lines, and they close it in the winter because it freezes.

Andrea :
It's true that it's not so easy to turn off the water, Filippo, because the handles can always break. They usually make them in hard plastic and they can break anyway.

Andrea :
Se costruissimo delle fontane dovremmo farle col ferro o con il legno o con il cemento, insomma dure; dentro ci mettiamo dei tubi con l'acqua che arriva dall'acquedotto che è molto forte e potente; poi possiamo fare una statua con la creta. Possiamo fare un bimbo, un angioletto, un pesciolino, quello che vuoi; apri l'acqua e la fontana va.

Federica :
Veh, lì nel disegno della mia fontana, io ho messo il vetro, perché così si può vedere dentro come si muove l'acqua.

Filippo :
Per fare le fontane bisogna sapere
delle altre cose…

Andrea :
Quali Filippo?

Simone :
Secondo me è già abbastanza.

Giorgia :
Forse bisogna sapere come
si chiama quella fontana.

Filippo :
Bisogna sapere come è fatta tutta
la fontana, non solo davanti, ma anche di dietro e poi… devi sapere dove è la maniglia per chiudere l'acqua; a Civago c'è una fontana che si schiaccia quando viene fuori l'acqua e c'è un buco sopra che butta fuori l'acqua a spicchi, a righine; la chiudono d'inverno perché gela.

Andrea :
Non è tanto semplice chiudere l'acqua, vero Filippo, perché si possono anche rompere le maniglie; di solito le fanno di plastica dura e di solito si possono anche rompere. Ma le costruiamo le fontane? Ci facciamo aiutare da Giovanni e l'Amelia, così ci riusciamo meglio!

Elena :
Ho fatto la fontana della ruota; è una giostra per uccellini. Ci sono dei seggiolini di legno colorati; c'è un bastone che tiene su degli altri bastoni. I seggiolini sono per tutti gli uccellini, uccellini di tutti i tipi; le sedie sono grandi, piccole, medie. L'àcqua va sulla giostra da un tubo e la fa girare.

I made a wheel fountain, a ferris wheel for the birds. There are some seats in colored wood, there's a stick that holds the other sticks up. The seats are for all the birds, all kinds of birds - they're big, small, medium-sized.
The water goes up on the wheel from a pipe and makes it turn.

Valentina :

La mia è una fontana con le cannucce che avevo fatto io, nella vasca, un altro giorno. Ci ho messo delle girandole e delle cannucce che hanno delle forme da dove esce l'acqua. Mentre scende l'acqua dalle cannucce dopo va sulle girandole che girano.

My fountain is made with the straws that I made in the tank the other day. I put some pinwheels and straws that the water comes out of. When the water goes down from the straws, after that it goes on the pinwheels and they turn around.

Andrea :

Ho fatto la fontana degli ombrelli. Sono due ombrelli; da uno ci casca dentro all'altro. La fontana prende su l'acqua da un tubo, la porta fino ad un laghetto dove ci potrebbero essere dei pesciolini. C'è un ombrello in fondo grande e di sopra uno piccolo messi in posizione con il manico su, altrimenti l'acqua scivolerebbe e andrebbe sopra la terra. Dal bastone dell'ombrello esce l'acqua e va a finire in un ombrello e poi nell'altro e poi nella vaschetta in mezzo alla terra.

I made a fountain of umbrellas. There are two umbrellas, and the water falls from one to the other. The fountain takes up the water from a pipe and carries it to a lake where there might be some fish. There's a big umbrella at the bottom and a little one at the top, put with the handles up, otherwise the water would slide down and go on the ground. The water comes out of the umbrella stick and goes on another umbrella and then another, and then in the pool on the ground.

Inaugurazione del luna park degli uccellini
Inauguration of the amusement park for birds

Giorgia :
Ragazzi, ma che stupendo luna park che abbiamo fatto!

Hey guys! What a great amusement park we've made!

Everything is ready for the inauguration of the Amusement Park, and everyone has been invited to the big celebration: children, parents, community members, but also the birds, cats, and dogs that frequently visit the school yard.

The special guests of the event will be the pets that the children bring from home. A lavish banquet has been prepared for the animal friends, and for the children, the school cooks and parents have made a gigantic cake in the shape of a fountain to celebrate the event.

Then everyone will come together to discover an amusement park with fountains, water wheels, elevators, diving boards for birds, boat rides, beaches and lakes, slides and swings and many other encounters, all desired, designed, and constructed by the children for their small friends.

Tutto è pronto per l'inaugurazione del luna park. Alla grande festa sono invitati a partecipare tutti: bambini, genitori, cittadini, ma anche uccellini, gatti e cani che già frequentano il parco.

Ospiti speciali saranno gli animali che i bambini hanno nelle loro case. Un lauto e variegato banchetto viene organizzato per gli amici animali, mentre per i bambini le cuoche e i genitori preparano una torta gigantesca, fatta a forma di fontana, per festeggiare l'avvenimento.

Poi tutti insieme alla scoperta di un luna park con fontane, mulini, ascensori, trampolini per uccellini tuffatori, giostre delle barchette, spiagge e laghetti, scivoli ed altalene e tanti incontri voluti, progettati e costruiti dai bambini per i loro"amici".

Andrea :
I bet the birds are so happy playing with the fountains and the waterwheels in our amusement park... will they be able to find it?

Federica :
Maybe they'll hear the sound of the water and then they'll all come here!

Alice :
If they fly way high up, they won't hear the sound of the water and... maybe they won't stop?!

Federica :
Yes, but birds are smart, and I bet they already know there's an amusement park for them down here.

Giorgia :
They told each other by saying "tweet, tweet". I heard them in the yard.

Filippo :
Yeah, there were birds flying from one tree to another and singing, maybe they were happy. You know, I bet it's great to be a bird flying in the sky over

the amusement park, and then he comes down to rest and have fun.

Simone :
Not just great... wonderful !!

Andrea :
Chissà come sono felici gli uccellini di giocare con le fontane e i mulini del nostro luna park... riusciranno a trovarci?

Federica :
Forse sentiranno anche il suono dell'acqua e allora arriveranno tutti da noi!

Alice :
Se loro volano molto in alto non lo sentono il suono dell'acqua e... forse non si fermeranno!

Federica :
Eh, ma gli uccellini sono furbi e vedrai che lo sanno già che c'è un luna park per loro.

Giorgia :
Se lo sono detti con i loro cip cip, li ho sentiti nel parco.

Filippo :
E sì, c'erano gli uccellini che volavano di albero in albero e cantavano, forse erano felici. Sai, deve essere bello essere un uccellino che vola nel cielo del luna park e poi scende qui a riposarsi e divertirsi.

Simone :
Anzi, direi meraviglioso!

*Si ringrazia
per la collaborazione*

Special thanks to

www.agac.it
E-mail: agac@agac.it